Y0-BDQ-106

Grażyna Herbst

DOBRE MANIERY
czyli zasady i porady dotyczące ogłady

Ilustracje:
Artur Ruducha

Wydawnictwo AKSJOMAT
Kraków 2012

Redakcja:
Anna Podgórska
Agnieszka Bator

Korekta:
Beata Karlik

Opracowanie graficzne:
Renata Surowiec

ISBN 978-83-7713-052-0

Po czym poznać kulturalnego człowieka?

Po tym, że we wszystkim, co robi,
ma na względzie innych ludzi.

Co to są dobre maniery? Dlaczego warto je znać? Większość z nas odpowie, że to zbiór zasad grzecznościowych, których powinniśmy przestrzegać. Ustalono je po to, by lepiej żyło się nam ze sobą. Jednak znajomość reguł nie wystarczy, jeśli w naszym zachowaniu nie będzie szacunku i życzliwości dla innych.

Uśmiech, ukłon i podanie ręki

Różne są ukłony:
korne, uniżone;
są ukłony sztuczne —
dworne, wymuszone...

Ty, kiedy się kłaniasz,
wyraźnie skłoń głowę
i uśmiech podaruj
znajomej osobie.

Nie podawaj ręki
miękko i bezwładnie.
Uściśnij ją mocno,
ale nie przesadnie.

Nie myśl, że być może
maniera to przeszła —
okazać szacunek,
podnosząc się z krzesła.

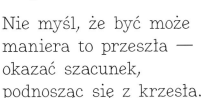

Z pewnością do dzisiaj
w najlepszym jest tonie,
by czapkę uchylić
w uprzejmym ukłonie.

Złote zasady !

Witaj innych słowami: „dzień dobry", „dobry wieczór",
„cześć" lub podaniem ręki.

»» ««

Wymieniając podczas powitania imię kolegi lub koleżanki,
okazujesz sympatię i dajesz im odczuć,
że są dla ciebie ważni.

»» ««

Osoba starsza pierwsza podaje rękę.

Cześć
Zuziu!

NIE ZAPOMINAJ
O UŚMIECHU
I SPOJRZENIU
W OCZY.

- Zawsze pierwszy pozdrawia ten
kto wchodzi.
- Nie mijaj znajomej osoby bez
powitania.

KIEDY SIĘ Z KIMŚ WITASZ,
WYJMIJ RĘCE Z KIESZENI.

Przepraszam, proszę, dziękuję

„Przepraszam", „proszę", „dziękuję" —
to są magiczne, jak mówią, słowa.
Lecz co to znaczy — wciąż mnie nurtuje.
Czy siła drzemie w nich wyjątkowa?

Czy za pomocą tych właśnie słów
można uczynić maleńki cud?
Albo dokonać niezwykłych rzeczy,
których istnienia nikt nie zaprzeczy?

Chciałem mieć rower — to go dostałem.
O taki rower mamę błagałem.
Mówiłem bratu: — Ratuj mnie, proszę!
Więc mi pożyczył ostatnie grosze.

Może się mylę, ale te słowa
jednak potrafią czasem czarować.
Weźmy na przykład słowo „przepraszam" —
cuda się dzieją, gdy je wygłaszam.

Sąsiadka uśmiech śle mi uroczy,
bo przeprosiłem, patrząc jej w oczy.
Przyjaciel zaraz okazał względy,
gdy przeprosiłem za liczne błędy.

Niech ci się zawsze docenić uda
drobne grzeczności — maleńkie cuda.
I choć tych wielkich wciąż nam brakuje,
naucz się mówić słowo „dziękuję".

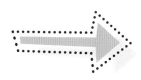

Złote zasady

Jeżeli kogoś skrzywdziłeś, sprawiłeś komuś przykrość, byłeś niegrzeczny, jeżeli niechcący potrąciłeś — niezwłocznie przeproś.

»» ««

Wypowiadając słowa: „dzień dobry", „proszę", „przepraszam", „dziękuję", okazujesz innym szacunek.

STARAJ SIĘ UDZIELIĆ POMOCY, GDY KTOŚ O NIĄ PROSI.

DZIĘKUJ ZA OTRZYMANĄ POMOC.

• Nie zapomnij podziękować za prezent i poczęstunek.

• Na swoim przyjęciu nie pytaj gości, kiedy wyjdą.

• Gdy jesteś gościem, nie przedłużaj wizyty.

Czystość i elegancja

Jesteś jedyny, niepowtarzalny,
nie ma takiego drugiego smyka.
Więc czy o siebie dbasz jak należy
i do higieny pilnie nawykasz?

Czy nie obgryzasz czasem paznokci?
Czyste masz ręce i oddech świeży?
Czy utrzymujesz ciało w czystości
czy ci nie bardzo na tym zależy?

Odzież masz brudną, kudły na głowie
i pomazane lodami usta.
Nie dziw się zatem, gdy ktoś ci powie:
— Czy zaglądałeś dzisiaj do lustra?

Zadbaj o uśmiech. Nie szczędź wysiłku,
by zęby zdrowe były i białe.
Pamiętaj, umyj je po posiłku!
A pasty dużo nie trzeba wcale.

O ustalonej zasypiaj porze.
Trzymaj się prosto, zażywaj ruchu.
Schludną i czystą noś zawsze odzież
i nie dłub w zębach, w nosie i w uchu.

Osłaniaj buzię podczas kichania.
Nie bądź flejtuchem! Nigdy nikomu
nie daj powodu do narzekania,
że nie wyniosłeś czystości z domu!

a psik!

Złote zasady

Dbaj o czystość ciała. Myj się codziennie i co najmniej raz w tygodniu bierz kąpiel. Szczotkuj zęby rano i wieczorem, a także po posiłkach. Po wyjściu z toalety, po zabawie w piasku i ze zwierzętami nie zapominaj o umyciu rąk.

»» ««

Pamiętaj, że czyste i uczesane włosy są ozdobą głowy.

Zwracaj uwagę na ubranie. Powinno być schludne, wyprasowane i niezniszczone. Każdego dnia zmieniaj bieliznę i skarpetki.

Ubieraj się zgodnie z własnym gustem, ale stosownie do pogody i okoliczności. Są okazje: wyjście do teatru, uroczystości szkolne, rodzinne i religijne, które wymagają włożenia odświętnego stroju.

NIE ZAPOMINAJ O CZYSZCZENIU BUTÓW.

NIE PLUJ I NIE UŻYWAJ
BRZYDKICH WYRAZÓW.
CZY ZAPRZYJAŹNIŁBYŚ SIĘ
Z KIMŚ, KTO ZACHOWUJE SIĘ
W TEN SPOSÓB?

- Młody dżentelmen do garnituru wkłada nieco ciemniejsze skarpetki i sznurowane buty.

- Młoda dama niczego nie stosuje w nadmiarze – nie wylewa na siebie zbyt dużo perfum, nie obwiesza się ozdobami i nie naśladuje ślepo mody.

GUMY DO ŻUCIA
NIE WYPLUWAJ NA CHODNIK
I NIE ZOSTAWIAJ PRZYKLEJONEJ
DO PRZEDMIOTÓW.
ZAWIŃ JĄ W PAPIEREK
I WYRZUĆ DO KOSZA.

W towarzystwie powstrzymaj się od drapania, dłubania, przeciągania, czyszczenia paznokci… Gdy kichasz lub kaszlesz, zasłaniaj usta dłonią albo chusteczką. Dobrze zrobisz, jeśli się wtedy odwrócisz.

Dobre maniery podczas rozmowy

Podczas rozmowy,
kto grzeczność ceni,
niechaj nie trzyma
rąk swych w kieszeni.

Niech kulturalną
czyni swą mowę
i ordynarnym
nie zraża słowem.

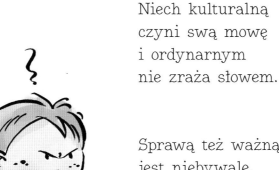

Sprawą też ważną
jest niebywale,
by mówić jasno
i zrozumiale.

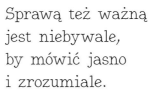

Wymawiać słowa
wolno, wyraźnie.
Słuchać cierpliwie,
chętnie, uważnie.

I nie przerywać
innym w pół słowa,
bo się niegrzeczna
staje rozmowa.

Złote zasady

Podczas rozmowy patrz na rozmówcę. Słuchaj uważnie i zadawaj pytania. Zanim odpowiesz, pomyśl! W rozmowie, oprócz stosownych pytań, ważne są również mądre odpowiedzi.

»» ««

Wstań, gdy rozmawiasz z osobą dorosłą. Używaj zwrotów grzecznościowych „pan", „pani".

»» ««

Nie przerywaj wypowiedzi innym – poczekaj na swoją kolej.

Staraj się unikać zdawkowych odpowiedzi „tak" i „nie".

W TRAKCIE ROZMOWY
POWSTRZYMAJ SIĘ OD:

- ZIEWANIA,

- SPOGLĄDANIA NA ZEGAREK,

- BAWIENIA SIĘ PRZEDMIOTAMI,

- ŻUCIA GUMY,

- MÓWIENIA Z PEŁNYMI USTAMI,

- DŁUBANIA W UCHU,
  ZĘBACH CZY NOSIE.

Osoby kulturalne nie plotkują i nie mówią
o nieobecnych tego, czego nie powtórzyłyby
w ich obecności.

Uprzejmość przez telefon

Gdy do kogoś dzwonisz,
użyj pozdrowienia
i przedstaw się grzecznie
z nazwiska, imienia.

Pamiętaj, że dzwonisz
do czyjegoś domu,
więc staraj się nabrać
przyjaznego tonu.

Nie krzycz, nie jedz, nie żuj,
nie wyrażaj złości.
Przyjazna rozmowa
wymaga grzeczności.

Przykrą niespodziankę
komuś zrobić możesz,
dzwoniąc wczesnym rankiem
lub o późnej porze.

„To pomyłka" — słyszysz. —
„Źle wybrałeś numer".
Nie rzucaj słuchawki,
bo przeprosić umiesz.

I niech ci przypadkiem
nie przyjdzie do głowy,
by przyłożyć ucho
do cudzej rozmowy.

Podsłuchujesz innych,
wydzwaniasz dla draki —
z pewnością w kulturze
masz ogromne braki.

Złote zasady

Nie wypada dzwonić przed 8 rano w dzień roboczy, a przed 10 w dzień wolny od pracy. Nie dzwonimy po godzinie 22.

— Dzień dobry, nazywam się Natalia Kowalska, jestem koleżanką Zuzi, czy mogę z nią rozmawiać?

— Zuziu, jakaś miła koleżanka do Ciebie, Natalka.

Gdy do kogoś dzwonisz i telefon zostanie odebrany, przywitaj się i przedstaw. Jeśli osoby, z którą chcesz rozmawiać, nie ma w domu, możesz poprosić o przekazanie wiadomości. Pamiętaj o słowach „dziękuję" i „do widzenia".

»» ««

Po usłyszeniu sygnału automatycznej sekretarki powiedz „dzień dobry", podaj imię i nazwisko i poinformuj, do kogo dzwonisz. Zostaw swój numer telefonu i poproś, by do ciebie oddzwoniono.

ROZMOWĘ KOŃCZY TEN, KTO ZADZWONIŁ.

- Jeżeli odebrałeś telefon do innej osoby, zapytaj grzecznie, kto mówi i poproś (nie krzycząc!) właściwą osobę do telefonu.

- Jeśli nie ma jej w domu, zapytaj, czy przekazać wiadomość. Dobrze zrobisz, jeżeli od razu ją zapiszesz.

- Gdy dzwonią dziadkowie, wykorzystaj okazję, żeby z nimi porozmawiać. Sprawisz im wielką przyjemność.

Wyłącz telefon komórkowy przed wejściem do kościoła, teatru, kina, filharmonii i szkoły.

Bon ton przy stole

Nawet uczta po królewsku
straci ze swej wspaniałości,
gdy przy stole siedzi dzikus,
co nie uczył się grzeczności.

Nie chciał umyć rąk — bo po co?
— Niech się inni tym kłopoczą.
Nie powiedział też „smacznego".
— To z pewnością nic ważnego.

Choć to widok nieciekawy,
prostej nie chce znać postawy.
Mów do niego, a on wciąż
tak wygina się, jak wąż.

Taki dzikus też, niestety,
może popsuć nam apetyt.
Mlaska, siorbie, stołem huśta,
mówi, choć ma pełne usta.

Dmucha w zupę, gdy gorąca,
i co chwilę łokciem trąca.
Jakby tego było mało,
do ust wpycha łyżkę całą.

Je zachłannie, szybko tak,
jakby głodził się od lat.
(Ty, gdy nie chcesz być prostakiem,
jedz powoli i ze smakiem).

Nie zamyka ust, gdy żuje —
cóż, kultury mu brakuje.
A tak gada, jak najęty,
że każdemu idzie w pięty.

Nawet uczta po królewsku
straci ze swej wspaniałości,
gdy przy stole siedzi dzikus,
co nie uczył się grzeczności.

Złote zasady

Przed posiłkiem

Nie podjadaj. Umyj ręce. Poczekaj, aż usiądą starsi. Możesz w tym czasie pomóc w nakrywaniu stołu. Jeśli jesteś gościem, nie rozpoczynaj posiłku, zanim nie zaczną jeść gospodarze. Życz wszystkim przy stole „smacznego".

Podczas posiłku

Siedź prosto. Nie opieraj łokci na stole. Trzymaj nóż w prawej ręce, a widelec w lewej. Podnoś sztućce do ust, a nie schylaj głowy do talerza. Kończąc zupę, możesz lekko przechylić talerz. Nakładaj sobie mniej, a częściej; talerz nie powinien być przepełniony jedzeniem. Nie sięgaj ręką przez cały stół; poproś o podanie potrawy. Jedz wolno, małymi kęsami. Nie mów za dużo. Używaj słów „proszę" i „dziękuję".

Po posiłku

Wytrzyj usta i palce serwetką. Łyżkę zostaw na talerzu. Widelec i nóż złóż na talerzu równolegle do siebie. Wstań od stołu dopiero wówczas, kiedy wszyscy skończą jeść lub poproś o pozwolenie. Wsuń krzesło pod stół. Nawet jeżeli coś ci nie smakowało, podziękuj za przygotowanie posiłku.

Jedz bez:

- wybrzydzania i obwąchiwania potraw,
- dmuchania, żeby ostygły,
- mlaskania, cmokania, siorbania, bekania,
- dotykania i odkładania pieczywa.

NIE ODKŁADAJ BRUDNYCH SZTUĆCÓW NA OBRUS.

NIE ROZMAZUJ I NIE WYPLUWAJ JEDZENIA NA TALERZ.

NIE WYLIZUJ TALERZA.

Jedz bez:

- kopania, huśtania, wiercenia się na krześle,
- kołysania stołem,
- nieapetycznych historyjek i sprzeczek.

NIE ZGRZYTAJ NOŻEM O TALERZ.

Jedz bez:

głośnej muzyki, telewizora, komiksu, książki, telefonu.

Serwetka nie jest ręcznikiem, chusteczką ani śliniakiem!
Przed posiłkiem połóż ją sobie płasko na kolanach. Po posiłku luźno złożoną odłóż na stół, obok talerza. Usta wytrzyj papierową serwetką – zużytą zostaw na swoim talerzu.

W gościnie
i na przyjęciu
urodzinowym

Dawanie prezentów to rzecz,
która wymaga geniuszu.

Owidiusz

Zapytałam syna, co kupić na prezent
jego najbliższemu szkolnemu koledze.
Sypać pomysłami można jak z rękawa,
ale prezent wybrać to trudniejsza sprawa.

Jak tu w gust utrafić? Co się przydać może?
Co przyjemność sprawi i w jakim kolorze?
Syn mi podpowiada, że rozmawiał z Jerzym,
że mu na robotach najbardziej zależy.

To Jerzego hobby, strzał w dziesiątkę właśnie!
Tylko że robotów ma już kilkanaście.
Czy dać zatem można z paragonem prezent,
żeby nie powtórzył się zestaw koledze?

Złote zasady

Drogi solenizancie!

Zaproś gości odpowiednio wcześnie, by zdążyli się przygotować.

»» ««

Zadbaj o smakowity poczęstunek i atrakcyjny program. Nie staraj się jednak realizować planu wbrew oczekiwaniom zaproszonych osób.

Przyjąć prezent to wielka sztuka. Nawet jeśli nie jesteś uszczęśliwiony podarunkiem -- podziękuj.

Gości, którzy się nie znają, należy sobie przedstawić. Podczas prezentacji powiedz o każdym kilka miłych słów.

»» ««

Chłopca przedstawia się dziewczynce, osobę młodszą — starszej, kolegów i koleżanki — rodzicom. Przejście na „ty" proponuje osoba starsza.

»» ««

Podczas zawierania znajomości dziewczynka pierwsza wyciąga rękę w stronę chłopca.

»» ««

Jeżeli witasz uściskiem ręki jedną osobę w grupie, tak samo potraktuj wszystkie pozostałe.

Miły gościu!

Składając wizytę koledze lub koleżance, przywitaj się z rodzicami i przedstaw się, jeżeli widzą cię po raz pierwszy. Nie rzucaj swojego ubrania, tylko je powieś. Niczego nie włączaj ani nie otwieraj samowolnie. Nie hałasuj i nie biegaj po mieszkaniu. Na korzystanie z telefonu musisz uzyskać pozwolenie. Pamiętaj, że swobodnie, to nie znaczy jak u siebie w domu.

»» ««

Wybierając prezent, kieruj się zainteresowaniami osoby, dla której upominek jest przeznaczony. Możesz poradzić się kogoś z jej najbliższej rodziny albo dyskretnie wypytać solenizanta o to, co najbardziej lubi.

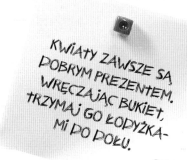

KWIATY ZAWSZE SĄ DOBRYM PREZENTEM. WRĘCZAJĄC BUKIET, TRZYMAJ GO ŁODYŻKAMI DO DOŁU.

Przyjąłeś zaproszenie, więc przyczyń się do udanej zabawy. Nie każ długo oczekiwać na swoje przyjście. Nie trzymaj się na uboczu. W towarzystwie nie szepcz na ucho. Źle to wygląda i wywołuje wrażenie plotkowania.

W złym tonie jest opuszczać przyjęcie „po angielsku", to znaczy znikać niezauważonym. Wypada się pożegnać (zrób to przed włożeniem kurtki!) oraz podziękować solenizantowi i rodzicom za przyjęcie.

Rodzina —
       rodzice,
          dziadkowie,
             rodzeństwo...
Miłość i szacunek, ciepło, bezpieczeństwo.
To wspólna codzienność i uroczystości,
biesiady przy stole, smutki i radości.
Najzwyklejsza troska, uczucia gorące
i wielka tęsknota przy długiej rozłące.
Ludzie, których kochasz z tysiąca powodów,
to powietrze, jakim oddychasz za młodu.

Złote zasady

Bierz udział w życiu rodziny, dziel się z bliskimi swoim światem.

Okazuj wszystkim członkom rodziny zainteresowanie, szacunek i uznanie. Doceń starania rodziców i wyrażaj wdzięczność.

- Pamiętaj o świętach i uroczystościach najważniejszych ludzi w twoim życiu (Dzień Matki, Dzień Ojca, rocznice ślubu, urodziny, imieniny).
- Otaczaj opieką młodszych i chorych domowników.

Dobrze wypełniaj obowiązki domowe — sprzątaj po swoim zwierzątku, utrzymuj porządek we własnym pokoju, zachowuj czystość w łazience.

DOBRE MANIERY POMOGĄ CI UNIKNĄĆ WIELU KONFLIKTÓW W KONTAKTACH Z LUDŹMI.

Szanuj prywatność innych. Nie otwieraj cudzych listów, teczek, szuflad. Dochowuj tajemnicy i nie powtarzaj zwierzeń.

PUKAJ PRZED WEJ-ŚCIEM DO CZYJEGOŚ POKOJU i DO ŁAZIENKI.

Zwracaj rodzeństwu rzeczy pożyczone. Nie przetrzymuj ich niepotrzebnie. Jeśli komuś coś zniszczyłeś – przeproś, napraw lub odkup przedmiot.

PYTAJ O POZWOLENIE, GDY CHCESZ SKORZYSTAĆ Z CUDZYCH RZECZY.

Walcz z zachowaniami nieprzyjemnymi dla innych: drapaniem się po głowie, dłubaniem w nosie czy wypuszczaniem gazów.

»»» «««

Nie pociągaj nosem. Zużyte papierowe chusteczki do nosa wyrzucaj do kosza, nie odkładaj ich na bok.

 miejscach publicznych

Na placu zabaw

W szkole

W środkach lokomocji

W kinie i w teatrze

Z naturą za pan brat

W miejscach kultu

Na placu zabaw

Czy cebulka źle dziś spała?
Może lewą nogą wstała?
Mars na czole, mina groźna,
wprost dogodzić jej nie można.

Nie chce zabaw już z marchewką
ani z nudną kalarepką.
I nie będzie, ani trochę,
bawić się z niezdarnym grochem.

A jak brzydko rzekła rzepie:
„Co się gapisz? Idź stąd lepiej!".
I nie lubi też selera,
bo jej ciągle coś zabiera.

Wnet dopiekła tak każdemu,
że już nikt wytrzymać nie mógł.
W końcu rzekła jej fasola:
„Chcesz być taka? Twoja wola!".

Seler też wycedził słówka:
„Oj, niegrzeczna ta cebulka".
„Właśnie" — zgodził się ananas. —
„Wciąż się tylko krzywi na nas".

Groszek szepnął po cichutku:
„Chodźmy bawić się w ogródku".
I warzywa, obrażone,
poszły sobie w swoją stronę.

Złote zasady

Zapraszaj do wspólnej zabawy i dziel się zabawkami z innymi dziećmi. Jeżeli chcesz pobawić się zabawką koleżanki lub kolegi – grzecznie o nią poproś.

W czasie zabawy używaj słów: „cześć", „przepraszam", „proszę", „dziękuję".

Dziękuję! Przepraszam! Proszę!

Nie niszcz ławek i sprzętu na placu zabaw.

»» ««

Nie pluj, nie wystawiaj języka i nie pokazuj innych palcem.

»» ««

Staraj się zbytnio nie hałasować — na placu zabaw nie jesteś sam!

Nie bij, nie kop, nie gryź, nie popychaj, nie przezywaj i nie syp piaskiem.

Pozwól innym dzieciom skorzystać z huśtawki i zjeżdżalni. Pomagaj maluchom.

W szkole

Gdy budzik zadzwonił, Marcinek doń — hyc!
Wyłączył w trzy migi i śpi jakby nic.
Więc mama ton głosu podnosi co rusz:
„Wstań synku, na litość, po siódmej jest już.

Nie zwlekaj, syneczku, wstań z łóżka raz-dwa.
Nie marudź... Szybciutko, za długo to trwa".
Cóż, mama nalega, a chłopcu nie w smak,
więc co tu wymyślić, co zrobić i jak?

Już łza się zakręca i oko się szkli.
„Oj, brzuszek tak boli i bardzo mnie mdli".
I zwija się w kłębek, odwraca na bok,
nie może się podnieść i ruszyć na krok.

Nie pójdzie do szkoły, to pewne, bo jak?
A dzisiaj klasówka z polskiego — oj, tak!
Wykręca się sianem – ananas i tchórz!
Nie uczył się wcale, ma pietra i już.

Złote zasady

> Jak przyjemnie jest powiedzieć
> człowiekowi coś miłego.
>
> Victor Hugo

Okazuj nauczycielom szacunek. Pamiętaj o codziennym pozdrowieniu. Bądź punktualny. Słuchaj uważnie. Starannie wykonuj polecenia. Zapytaj, jeśli czegoś nie rozumiesz. Bierz udział w dyskusjach.

»» ««

Nie kłam i nie oszukuj! Pamiętaj, że ściąganie to rodzaj oszustwa!

»» ««

Bądź koleżeński i życzliwy. Pomagaj innym. Nie wyśmiewaj się z kolegów i koleżanek z powodu ich niewiedzy lub popełnionej gafy. Szanuj naturalne różnice między dziećmi.

Brawo!

W SZKOLE STARAJ SIĘ OSIĄGNĄĆ NAJWIĘCEJ JAK POTRAFISZ.

 **W** kinie
i w teatrze

Kiedy scena cię nie kręci,
tak, by wciągnąć bez pamięci —
gdy z uwagą raczej krucho
i na jedno słuchasz ucho —
z zamyśloną siedzisz głową,
co dziesiąte wpada słowo.
Masz ochotę zapaść w drzemkę,
zamiast tego szepczesz z Przemkiem.
Gdy się złoszczą już sąsiedzi,
że w skupieniu nie usiedzisz,
więc znów myślisz o niedzieli...
C a ł ą   s z t u k ę   d i a b l i   w z i ę l i.

Rzecz ujmując w inny sposób —
pozwól sztuce dojść do głosu!

Złote zasady

Nie spóźniaj się na spektakl, koncert ani do opery. Jeśli jednak nie dotrzesz na czas – nie przeszkadzaj aktorom i publiczności – poczekaj do przerwy, stojąc na końcu rzędu.

»» ««

W teatrze, operze, na musicalu i na koncercie obowiązuje tradycyjnie elegancki strój. Odzież wierzchnią zostawia się w szatni, dlatego przed wyjściem z domu sprawdź, czy wieszak przy płaszczu lub kurtce nie jest oderwany.

W kinie nie przyjęła się zasada odświętnego stroju. Przyzwyczailiśmy się też do picia i podjadania łakoci w trakcie seansu. Mimo to nie przeszkadzaj innym zbędnymi komentarzami i głośnymi odgłosami, nie szeleść papierkami i nie zaśmiecaj sali kinowej!

Na oznaczone numerem miejsce idź przodem, a nie tyłem do siedzących. Najbliższych sąsiadów z rzędu powitaj skinieniem głowy.

»» ««

Jeżeli chcesz podzielić się wrażeniami, zrób to po spektaklu. W trakcie sztuki nie przeszkadzaj.

»» ««

Jeśli chcesz coś zjeść, zrób to poza salą, podczas przerwy.

 # W środkach lokomocji

W autobusie i w tramwaju
dobrych trzymaj się zwyczajów.
Daruj sobie szybką akcję:
jak się wepchnąć, minąć babcię,
zająć miejsce, być na luzie —
chociaż starsi stoją ludzie.

Choć z kumplami jest wesoło,
myśl o ludziach naokoło.
Nawet gdy dowcipów słuchasz,
hucznym śmiechem nie wybuchaj.
Gdy rozmawiasz poruszony,
głos swój obniż o trzy tony.
Chociaż często czas się dłuży,
szanuj innych w tej podróży.

Zdobądź się na uczynność w stosunku do starszych pasażerów. Nie ociągaj się z ustąpieniem miejsca. A może potrzebna będzie twoja pomoc przy wsiadaniu lub wysiadaniu z pojazdu? Podaj pomocną dłoń.

W podróży zachowuj się cicho i nieuciążliwie dla innych pasażerów. Nie prowadź długich rozmów przez telefon komórkowy ani nie puszczaj na nim głośno muzyki. W pociągu najlepiej odebrać telefon na korytarzu i tam rozmawiać.

PODRÓŻUJĄC SAMOCHODEM, ZAPNIJ PAS.
Nie siadaj na przednim siedzeniu – to niebezpieczne miejsce do podróżowania dla dzieci.

Na przejazd autobusem, tramwajem i pociągiem potrzebny jest bilet. Kup go, skasuj i zachowaj do kontroli.

Młody dżentelmen przepuszcza kobietę do samochodu i otwiera jej drzwi. Oczywiście nie każe jej się przesuwać, tylko obchodzi samochód i wsiada z drugiej strony.

NIE PĘDŹ, BY ZAJĄĆ WOLNE MIEJSCE. JEŻELI KOGOŚ POTRĄCIŁEŚ – NIEZWŁOCZNIE PRZEPROŚ.

Z naturą za pan brat

Na leśnej ścieżynie
czy na górskim szlaku —
oddychaj głęboko,
w ciszy się rozsmakuj.

Nie niszcz roślinności,
nie zostawiaj w spadku
butelek na drodze
i innych odpadków.

I z ogniem nie igraj
na łonie natury,
by miejsc tych nie zmienić
w krajobraz ponury.

Złote zasady

- Nie depcz kwiatów, nie łam gałęzi i krzewów.
- Nie zrywaj roślin objętych ochroną.
- Nie płosz zwierząt głośnym zachowaniem.
- Nie śmieć. Niech miejsce, które urzekło cię swoją urodą, zachwyci też innych.
- Ognisko rozpalaj w miejscu dozwolonym i pod nadzorem osoby dorosłej.
- Sprzątaj odchody po swoim psie.

— Wyrzućmy to do śmietnika!

 miejscach kultu

W domu Bożym nie przystoi,
byś się kręcił, miny stroił.
I w rozmówkę wszedł z kolegą,
bo interes masz do niego.
Tu modlitwa, msza, kazanie
zawsze są na pierwszym planie.

W świętych miejscach, jakich wiele,
w synagodze i w kościele,
w cerkwi, w stupie i w meczecie —
na calutkim Bożym świecie.
Niech świątynia respekt budzi,
szanuj religijność ludzi.

Nie zakłócaj ciszy i religijnego skupienia osób, które przebywają w świątyni.

Gdy zachowujesz się niestosownie w miejscach kultu religijnego, urażasz uczucia innych ludzi.

Nie zwiedzaj świątyń podczas nabożeństw i w godzinach modlitwy. Odszukaj tablicę z informacją lub zapytaj, czy można robić zdjęcia i dostosuj się do tego.

- Nie wybieraj się do świątyni w nieodpowiednim stroju: w zbyt krótkiej sukience lub szortach i w koszulce na ramiączkach.
- Przed wejściem do meczetu wszyscy zdejmują buty, a kobiety dodatkowo otulają głowę szalem.
- Wchodząc do kościoła, mężczyźni ściągają nakrycia głowy, w synagodze przeciwnie — nakrywają głowę, choćby ręką.

Kwoka

Proszę pana, pewna kwoka
Traktowała świat z wysoka
I mówiła z przekonaniem:
— Grunt — to dobre wychowanie!
Zaprosiła raz więc gości,
By nauczyć ich grzeczności.
Osioł pierwszy wszedł, lecz przy tym
W progu garnek stłukł kopytem.
Kwoka wielki krzyk podniosła:
— Widział kto takiego osła?!
Przyszła krowa. Tuż za progiem
Zbiła szybę lewym rogiem.
Kwoka, gniewna i surowa,
Zawołała: — A to krowa!
Przyszła świnia prosto z błota.
Kwoka złości się i miota:
— Co też pani tu wyczynia?
Tak nabłocić! A to świnia!
Przyszedł baran. Chciał na grzędzie
Siąść cichutko w drugim rzędzie,
Grzęda pękła. Kwoka, wściekła,
Coś o łbie baranim rzekła
I dodała: — Próżne słowa,
Takich nikt już nie wychowa,
Trudno... Wszyscy się wynoście!
No i poszli sobie goście.
Czy ta kwoka, proszę pana,
Była dobrze wychowana?

Jan Brzechwa

- Nie oceniaj innych po wyglądzie i zbyt pochopnie. Poznaj człowieka, zanim wydasz o nim opinię.

- Podstawą dobrych relacji między ludźmi jest szacunek i wzajemna życzliwość. Znajomość manier ułatwia nam te relacje.

- Zasady właściwego zachowania są jak znaki, które wskazują nam drogę w postępowaniu z innymi.

> Nie bądź jak kwoka z wiersza Jana Brzechwy. Pomóż, podpowiedz, ale nie śmiej się, kiedy kolega lub koleżanka nie wiedzą, jak się zachować.

Jak zaskarbić sobie sympatię innych? Oto kilka wskazówek:
- Szczerze interesuj się ludźmi.
- Uśmiechaj się.
- Bądź dobrym słuchaczem, zachęcaj innych, by opowiadali o sobie.
- Rozmawiaj z innymi o tym, co jest im znane i co ich interesuje.
- Próbuj wzmacniać w każdym człowieku poczucie wartości i czyń to szczerze.

Spis treści